A FONTE DA JUVENTUDE

Peter Kelder

A FONTE DA JUVENTUDE

Tradução de
EVELYN KAY MASSARO

EDITORA BEST SELLER

CÍRCULO DO LIVRO

Título original: *Ancient Secret of the Fountain of Youth*
Copyright: © Harbor Press, Inc., 1985, 1989
(Este livro é uma edição revisada, atualizada e ampliada de
The Eye of Revelation, publicado em 1939 por Peter Kelder.)
Licença editorial para o Círculo do Livro
por acordo com a Editora Nova Cultural Ltda.
e o detentor dos direitos autorais.

CÍRCULO DO LIVRO

EDITORA BEST SELLER
uma divisão do Círculo do Livro Ltda.
Rua Paes Leme 524 - CEP 05424-010
Caixa Postal 9442 - São Paulo, SP

1998

Impressão e acabamento: Gráfica Círculo

PREFÁCIO

Este livro simples e extraordinário não é para qualquer um. Só deverá ser lido por quem possa aceitar a idéia aparentemente absurda de que o envelhecimento pode ser revertido. Só deverá lê-lo quem ouse acreditar que a Fonte da Juventude realmente existe. Se você se aferra à noção de que essas coisas são impossíveis, vai perder tempo lendo este livro. Se, em contrapartida, consegue aceitar que o "impossível" está a seu alcance, então prepare-se para receber uma abundância de frutos.

Segundo o que sei, o livro de Peter Kelder é a única fonte escrita desta valiosa informação: cinco antigos ritos tibetanos que são a chave para a vitalidade, saúde e juventude perenes. Por milhares de anos esses ritos, aparentemente mágicos, ficaram secretamente guardados nos mais remotos templos do Himalaia. E, de início, chegaram ao conhecimento do mundo ocidental pela edição original do livro de Peter Kelder, publicada há mais de cinqüenta anos. Mas, desde essa época, o livro e sua extraordinária riqueza de informações ficaram praticamente perdidos e esquecidos. O propósito desta edição nova e revisada é trazer a mensagem do Peter Kelder de volta ao público, na esperança de que um grande número de pessoas seja influenciado e ajudado por ele.

É impossível dizer se a história narrada por Kelder sobre o coronel Bradford é ficção, verdade ou uma mistura das duas. Mas a validade da mensagem está fora de cogitação. Minha própria experiência, assim como as cartas e telefonemas que tenho recebido de leitores de todo o mundo provam, para minha completa satisfação, que os cinco ritos realmente funcionam! Não posso prometer que os ritos apagarão cinqüenta anos de sua idade, que o transformarão da noite para o dia ou o farão viver até os 125 anos, mas sei que eles podem ajudar todos a aparentar e a sentir-se anos mais jovens, e a conquistar maior sensação de bem-estar. Se você executar os ritos diariamente, começará a notar resultados em trinta dias ou menos. Após dez semanas, aproximadamente, é provável que constate benefícios mais substanciais. Seja qual for o andamento de seu progresso, será sempre emocionante o momento em que seus amigos começarem a comentar que você está parecendo mais jovem e saudável.

Que os cinco ritos funcionam, está fora de questão, mas a grande pergunta é *como?* De que maneira exercícios simples como estes podem exercer um efeito tão profundo no processo de envelhecimento? É interessante notar que a explicação de Peter Kelder, que você lerá em seguida, encontra apoio em recentes avanços científicos. A fotografia Kirlian, que mostra o corpo cercado por um campo elétrico invisível a olho nu, ou "aura", sugere que somos "alimentados" por alguma forma de energia que permeia o Universo. É fato também que a aura de uma pessoa jovem e saudável é bem diferente da de alguém idoso e com pouca saúde.

Durante milhares de anos os místicos do Oriente vêm afirmando que o corpo possui sete centros de energia correspondentes às sete glândulas endócrinas, e que os hormônios produzidos por essas glândulas regulam todas as funções corporais. Recentes pesquisas médicas descobriram indícios convincentes de que até mesmo o processo de envelhecimento é regulado por um hormônio. Tudo indica que a glândula pituitária começa a produzir um "hormônio da morte" por ocasião do início da puberdade. Aparentemente esse "hormônio da morte" interfere na capacidade de nossas células utilizarem os hormônios benéficos, tal como o do crescimento. Como resultado, nossas células e órgãos pouco a pouco vão se deteriorando e finalmente morrem. Em outras palavras, o processo de envelhecimento cobra seu preço.

Se, como afirma Kelder, os cinco ritos restabelecem o equilíbrio dos sete centros de energia, conseqüentemente pode ocorrer a normalização desse desequilíbrio hormonal, o que torna possível às nossas células se dividirem e funcionarem como faziam quando éramos jovens. Assim, de fato, vamos nos tornando "mais jovens" a cada dia.

Você pode concordar ou não com essa afirmação. Já aviso que neste livro você encontrará muitos outros pontos dos quais poderá discordar. O importante é evitar que suas discordâncias o desviem do tema central do livro — os benefícios conquistados mediante a repetição dos cinco ritos. Só existe um modo de descobrir se eles funcionarão para você, e esse modo é *tentar.* Experimente e dê aos ritos a oportunidade fazerem efeito.

Como acontece sempre que se tem um objetivo em mira, os benefícios só virão como resultado de seu empenho. Você deve estar disposto a investir um pouco de tempo e energia para executar diariamente os cinco ritos. Se, depois de algumas semanas, perder o interesse e passar a praticá-los apenas de vez em quando, não espere o melhor dos resultados. Felizmente, a maioria das pessoas acha a rotina de fazer os cinco ritos não apenas fácil como também agradável.

Quando, depois da leitura deste livro, você começar a praticar os cinco ritos, procure ter duas certezas em mente. Primeiro, saiba que você é uma pessoa especial, que pode ver além dos pensamentos e opiniões limitadas dos outros; se não fosse assim, não teria sido atraído por este livro. Segundo, saiba que você merece ter seus mais caros desejos realizados, até mesmo a vontade de possuir uma renovada vitalidade e juventude. Os que no fundo se acreditam indignos e não merecedores são aqueles que parecem jamais colher as *benesses* da vida.

Quando você se considera em alta estima, e quando

sabe que é digno do melhor que a vida pode oferecer, o que de fato está fazendo é *amar a si mesmo*. O amor-próprio lhe permite sentir-se bem a respeito de quem e o que você é, e isso aumenta a velocidade do processo de renovação.

Os que não gostam de si mesmos, ou se vêem como inadequados, carregam um fardo que só pode acelerar os danos da velhice e da má saúde. Os que se enriquecem com o tesouro do amor por si próprios tornam tudo possível.

O Editor

*Os Antigos Segredos da
Fonte da Juventude*

PRIMEIRA PARTE

Todo homem deseja viver
para sempre, mas nenhum
homem quer ser velho.
JONATHAN SWIFT

Uma tarde, alguns anos atrás, eu estava no parque lendo um jornal quando um senhor idoso veio sentar-se a meu lado. Aparentando ter quase setenta anos, ele era calvo e grisalho, tinha os ombros caídos e apoiava-se numa bengala para caminhar. Eu nem podia imaginar que, daquele momento em diante, toda minha vida mudaria para sempre.

Não levou muito para nós dois estarmos envolvidos numa fascinante conversa. Eu soube que o velho era um oficial reformado do Exército Britânico e que também servira no corpo diplomático. Em conseqüência disso, ele havia viajado para, praticamente, todas as partes do mundo. O coronel Bradford, como eu o chamarei, embora esse não seja seu verdadeiro nome, me deixou encantado com os relatos de suas aventuras.

Quando nos despedimos, combinamos de nos encontrar outras vezes e logo nos tornamos amigos íntimos. Freqüentávamos a casa um do outro, e nossas conversas iam até tarde da noite.

Numa dessas ocasiões, percebi que o coronel Bradford estava desejoso de me contar algo muito importante, mas que algum motivo o impedia. Procurei deixá-lo à vontade, garantindo que, se queria me confessar alguma coisa, eu guardaria segredo. Timidamente de início, mas depois com crescente confiança, ele começou a falar.

Enquanto servia na Índia, o coronel Bradford por vezes entrava em contato com nativos de remotas regiões do interior e ouvia muitas histórias fascinantes sobre a vida e os costumes deles. Um relato que particularmente atraiu seu interesse foi repetido várias vezes e sempre pelos nativos de um determinado distrito. Os andarilhos vindos de outras regiões pareciam desconhecê-lo.

Essa história falava de um grupo de lamas ou sacerdotes tibetanos que conheciam o segredo da Fonte da Juventude. Durante milhares de anos, esse extraordinário segredo foi sendo transmitido, de geração em geração, aos membros dessa seita. E, embora eles não fizessem segredo disso, o mosteiro ficava num local tão distante e isolado que era como se estivesse separado do mundo.

Esse mosteiro e sua Fonte da Juventude haviam se tornado quase uma lenda para os nativos. Tais pessoas contavam histórias de velhos que tinham recuperado a saúde, força e vigor misteriosamente, depois de conviverem com esses lamas. No entanto, ninguém conseguia dizer com exatidão onde ficava esse estranho e maravilhoso lugar.

A exemplo de tantos outros homens, o coronel Bradford havia começado a envelhecer aos quarenta anos, e o processo continuava. Quanto mais ouvia contar sobre essa milagrosa Fonte da Juventude, mais se tornava convencido da real existência desse lugar. Então, começou a coletar informações a respeito da distância, das características da região e de outros dados que poderiam ajudá-lo a localizar o tal mosteiro. Uma vez iniciada a investigação, ele foi ficando cada vez mais obcecado pela idéia de encontrar a Fonte da Juventude.

Esse desejo, me contou o coronel, tornou-se tão irresistível, que ele decidiu voltar à India e encontrar o mosteiro e seu segredo. Então, propôs que eu me juntasse a ele nessa busca.

Em geral, eu teria encarado uma história dessas com grande ceticismo, mas o coronel me parecia absolutamente sincero. Quanto mais ele me contava sobre a Fonte da Juventude, mais eu me tornava convencido de que poderia ser verdade. Durante algum tempo senti-me tentado a acompanhá-lo na busca mas, quando comecei a analisar o lado prático da situação, acabei tomando a resolução mais sensata e desisti da idéia.

Logo que o coronel Bradford partiu, comecei a duvidar de que tomara a decisão certa. Querendo me consolar, conclui que talvez fosse um erro querer vencer o envelhecimento. Quem sabe devêssemos nos conformar em envelhecer com dignidade, sem pedir mais da vida do que os outros esperam. Entretanto, no fundo de minha mente, ficou guardada a empolgante possibilidade da existência de uma Fonte da Juventude, e desejei que o coronel a encontrasse.

Anos se passaram e, devido aos afazeres cotidianos, o coronel Bradford e seu Shangri-lá foram desaparecendo de minha memória. Então, certa noite, ao voltar ao meu apartamento, encontrei uma carta com a caligrafia do coronel. Não perdi tempo em abri-la e li uma mensagem que parecia ter sido escrita com alegre ansiedade. O coronel dizia que, apesar das demoras e reveses frustrantes, estava prestes a descobrir a Fonte da Juventude. Não deixava endereço para resposta, mas fiquei aliviado ao saber que ele ainda estava vivo.

Muitos meses se passaram antes que eu tivesse novas notícias. Quando finalmente chegou a segunda carta, abri-a com mãos trêmulas. Por um instante não consegui acreditar no que estava lendo. As novidades eram muito melhores do que eu poderia esperar: o coronel não só havia encontrado a Fonte da Juventude como a estava trazendo para os Estados Unidos e chegaria, no máximo, em dois meses.

Quatro anos tinham se passado desde que eu vira meu velho amigo. Comecei a imaginar se ele havia sofrido alguma mudança nesse período. Teria a Fonte da Juventude lhe permitido parar o relógio? Estaria como há quatro anos ou pareceria apenas um ano mais velho em vez de quatro?

Finalmente chegou a oportunidade de eu ter a resposta para tais perguntas. Certa noite, quando eu estava só em casa, o interfone tocou e o porteiro do prédio informou: "O coronel Bradford está aqui e deseja vê-lo". Mais do que depressa mandei-o subir. Pouco depois, a campainha tocou, e corri para atender. Mas, para minha decepção, vi à minha frente não o coronel Bradford, mas um homem muito mais jovem. Notando minha surpresa, o estranho indagou:

— Você não me esperava?

— Pensei que fosse outra pessoa — respondi, um tanto intrigado e confuso.

— Estou desapontado — disse o visitante em voz afável. — Olhe bem para o meu rosto. Será que preciso me apresentar?

A confusão transformou-se em espanto e depois em perplexa incredulidade, enquanto eu olhava para o desconhecido à minha frente. Pouco a pouco fui percebendo que os traços de seu rosto eram mesmo parecidos com os do coronel. Mas esse homem devia se parecer com ele quando estava no auge da vida. Em vez de um velho pálido, encurvado, que andava com a ajuda de uma bengala, vi uma pessoa alta e ereta. Tinha o rosto firme e cabelos fartos e escuros, com apenas alguns fios brancos.

— Sou eu mesmo — afirmou o coronel. — E, se você não me convidar a entrar, pensarei que é um sujeito muito mal educado.

Com jubiloso alívio, abracei meu amigo e, incapaz de esconder a ansiedade, deixei-o entrar sob uma torrente de perguntas.

— Espere, espere — protestou ele de bom humor. — Primeiro recupere o fôlego e depois lhe contarei tudo o que aconteceu.

E foi o que fez.

Logo que chegou à Índia, o coronel dirigiu-se à região onde se supunha existir a tal Fonte da Juventude. Felizmente, ele conhecia bem a língua da região e pôde passar meses estabelecendo contato com muitas pessoas e tornando-se amigo delas. Foi um processo longo e lento, mas a persistência acabou lhe rendendo o tão cobiçado prêmio. Depois de uma longa e perigosa expedição aos rincões mais remotos do Himalaia, ele finalmente encontrou o mosteiro que, segundo a lenda, guardava o segredo do rejuvenescimento e juventude perene.

Eu gostaria de ter tempo e espaço para registrar todas as coisas que o coronel Bradford vivenciou depois de ser admitido no mosteiro. Mas talvez seja melhor assim, pois a maior parte do relato parece mais fantasia do que fato. As práticas dos lamas, sua cultura e total indiferença pelo mundo exterior são de difícil compreensão para o homem ocidental.

No mosteiro não havia idosos entre os homens e as mulheres. Os lamas chamavam o coronel de "O Antigo", pois fazia muito tempo que não viam ninguém tão velho quanto ele. Para os tibetanos, o coronel era uma grande novidade.

— Nas duas primeiras semanas depois de minha chegada — contou o coronel —, eu me senti como um peixe fora da água. Eu me maravilhava com tudo e, às vezes, mal conseguia acreditar em meus próprios olhos. Logo minha saúde começou a melhorar. Dormia profundamente à noite e todas as manhãs acordava sentindo-me cada vez mais disposto. Não passou muito tempo para eu descobrir que só precisava da bengala para subir morros.

"Certa manhã, tive a maior surpresa de minha vida. Entrei pela primeira vez numa sala ampla e bem arrumada do mosteiro, usada como biblioteca de velhos manuscritos. Numa de suas extremidades havia um espelho de corpo inteiro. Como eu passara dois anos viajando por essa remota e primitiva região, há muito não via minha imagem refletida. Assim, com certa curiosidade, aproximei-me do espelho.

"Olhei com descrédito a imagem que estava diante de mim. Minha aparência física mudara tão radicalmente que eu parecia ter quinze anos menos. Pela mesma quantidade de anos, eu ousara acreditar que a Fonte da Juventude existia de verdade e agora, diante de meus próprios olhos, eu via a prova física de sua realidade.

"Palavras não podem descrever a alegria e a emoção que senti. Nas semanas e meses seguintes, minha aparência continuou a melhorar, e a mudança se tornou cada vez mais nítida para os que me cercavam. Logo meu título honorário, 'O Antigo', caiu em desuso."

Nessa altura de seu relato, o coronel foi interrompido por batidas à porta. Eu a abri e me deparei com um casal que, apesar de ser de amigos meus, escolhera uma hora inoportuna para me visitar. Ocultando meu aborrecimento da melhor forma possível, apresenteios ao coronel e conversamos por algum tempo. Então, o coronel se levantou e declarou:

— Lamento precisar deixá-los tão cedo, mas tenho outro compromisso esta noite. Espero vê-los de novo muito em breve. — Quando fui acompanhá-lo até a porta, ele me acrescentou baixinho: — Você pode almoçar comigo amanhã? Prometo lhe contar tudo sobre a Fonte da Juventude.

Combinamos a hora e o lugar, e o coronel partiu. Quando voltei aos meus amigos, um deles comentou:

— É, sem dúvida, um homem fascinante, mas parece jovem demais para ser um oficial reformado das Forças Armadas.

— Que idade você pensa que ele tem?

— Uns quarenta anos, no máximo, mas por sua conversa qualquer um pensaria que tem muito mais.

— Sim, no máximo — respondi distraidamente.

Então dirigi a conversa para outro assunto. Eu não tinha a intenção de repetir a história do coronel antes de ele me contar tudo o que lhe acontecera.

No dia seguinte, depois de almoçarmos juntos, o coronel levou-me para o seu quarto de hotel. E lá, finalmente, me contou tudo sobre a Fonte da Juventude.

— A primeira coisa importante que me ensinaram quando entrei para o mosteiro — explicou o coronel — foi que o corpo tem sete centros de energia, que poderiam ser chamados de vórtices. Os hindus os denominam chacras. Trata-se de poderosos campos elétricos, invisíveis ao olho humano, mas cuja existência é indiscutível. Cada um desses sete vórtices centra-se em uma das sete glândulas do sistema endócrino e estimula sua produção de hormônio. São esses hormônios que regulam todas as funções corporais, incluindo o processo de envelhecimento.

"O primeiro vórtice", continuou ele, "o mais baixo, tem seu centro nas glândulas reprodutoras. O segundo centra-se no pâncreas, na região abdominal. O terceiro tem como centro a glândula supra-renal, na região do plexo solar. O quarto vórtice centra-se na glândula timo, na região do coração. O quinto, na tireóide, no pescoço. O sexto tem como centro a glândula pineal, situada na parte posterior da base do cérebro. E o sétimo vórtice tem seu centro na glândula pituitária, que fica na parte anterior da base do cérebro.*

"Num corpo saudável, todos esses vórtices giram a uma grande velocidade, permitindo que a energia vital, também chamada de 'prana' ou energia 'etérica', flua para cima por intermédio do sistema endócrino. Mas, se um ou mais desses centros começa a diminuir a velocidade de rotação, o fluxo da energia vital fica inibido ou bloqueado — e disso resulta o envelhecimento ou a doença.

"Num indivíduo jovem, esses vórtices estendem-se para fora do corpo, mas nos velhos, fracos e doentes, eles mal conseguem atingir a superfície. O modo mais rápido de se recuperar a saúde, vitalidade e juventude

* Apesar de alguns estudiosos dizerem que existem muitos chacras ou vórtices, talvez milhares deles no organismo, a visão mais aceita é a de que são esses os sete centros primários. Na edição original deste livro, o sr. Kelder afirma que existem dois vórtices importantes na região dos joelhos. Ele também não vincula os vórtices às glândulas endócrinas. Tomei a liberdade de fazer esse acréscimo para adequar a obra ao ponto de vista mais atual. — *O Editor*

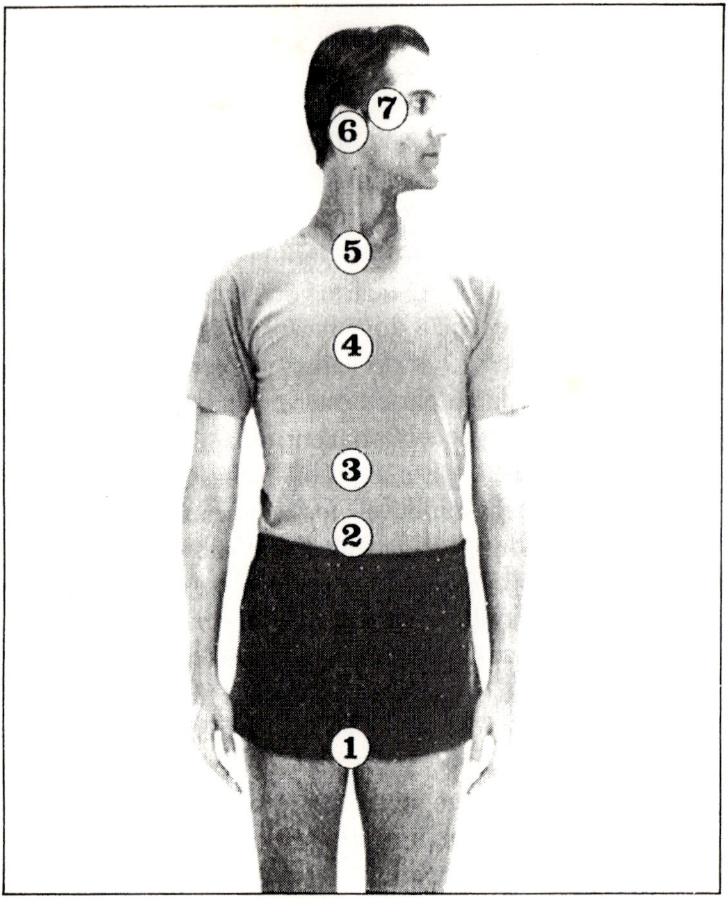

Os sete vórtices de energia têm como centro as sete glândulas endócrinas: 1) glândulas reprodutivas ou gônadas; 2) pâncreas; 3) glândulas suprarenais; 4) timo; 5) tireóide; 6) glândula pineal ou epífise; e 7) glândula pituitária ou hipófise.

Esses centros de energia giram em alta velocidade. Quando todos estão girando velozmente e dentro de um mesmo ritmo, o corpo encontra-se em perfeita saúde. Quando a velocidade de um ou mais deles começa a diminuir, tem início o processo de envelhecimento e deterioração física.

é fazer esses centros de energia voltarem a girar normalmente. Existem cinco exercícios simples para tal finalidade. Qualquer um deles sozinho já é bom, mas os melhores resultados são alcançados quando se pratica todos eles. Esses exercícios não são uma ginástica. Os lamas os chamam de 'ritos' e é assim que vou me referir a eles daqui por diante."

RITO 1

— O primeiro rito é muito simples — continuou o coronel. — É feito com o propósito expresso de aumentar a velocidade dos vórtices. As crianças costumam fazê-lo quando brincam.

"Tudo o que você tem a fazer é ficar em pé, ereto, com os braços estendidos para os lados, na horizontal. Em seguida, gire de um lado a outro até ficar um pouco tonto. Lembre-se! é importante começar a girar partindo da esquerda para a direita. Em outras palavras, se você colocasse um relógio deitado no chão, teria de girar seguindo os ponteiros deste.

"De início, a maioria dos adultos não conseguirá girar mais do que meia dúzia de vezes sem ficar bastante tonto. Como iniciante, você não deverá tentar mais do que isso. Se tiver vontade de sentar ou deitar para se recuperar da tontura, faça-o à vontade. Eu mesmo fiz isso muitas vezes quando estava começando. Então, nas primeiras vezes, pratique o rito somente até sentir uma ligeira tontura. Com o tempo, à medida que

RITO 1

for fazendo todos os cinco ritos, você será capaz de girar cada vez mais vezes, sentindo menos desconforto.

"Para diminuir a tontura, você pode agir como os dançarinos ou patinadores. Antes de começar a girar, focalize a vista num único ponto a sua frente. À medida que for começando a girar, continue fixando esse ponto até onde for possível. Ele acabará saindo de seu campo de vista. Quando isso acontecer, vire a cabeça bem rápido e volte a fixá-lo. Esse ponto de referência lhe permitirá ficar menos desorientado e menos tonto.

"Quando eu estava na Índia, impressionavam-me muito os *maulawiyah*, ou dervixes, como são conhecidos, que ficavam girando sem parar num frenesi religioso. Depois que me ensinaram o rito 1, lembrei-me de duas coisas ligadas a essa prática. Primeiro, os dervixes sempre giravam da esquerda para a direita, ou seja, no sentido horário. Segundo, os dervixes mais velhos eram fortes, viris e robustos, tendo melhor aparência do que a maioria dos homens de sua idade.

"Quando falei com um dos lamas sobre isso, ele me informou que a dança dos dervixes produzia mesmo um efeito benéfico, mas que a prática podia ser prejudicial. Os giros em excesso superestimulam alguns dos vórtices, acabando por deixá-los esgotados. Tal prática tem o efeito de inicialmente acelerar o fluxo de energia vital, mas depois o bloqueia. Esse aumento e diminuição excessivos fazem com que o dervixe experimente uma espécie de 'maré psíquica', que ele confunde com um fenômeno espiritual ou religioso.

"Os lamas jamais cometem excessos", concluiu o coronel. "Enquanto os dervixes giram centenas de vezes, os lamas fazem apenas uma dúzia de giros, no máximo, só para estimular a ação dos vórtices.''

RITO 2

O coronel prosseguiu em sua explanação:

— O segundo rito estimula ainda mais os sete vórtices. Ele também é muito simples. A pessoa fica deitada de costas no chão, sobre um tapete ou qualquer outro forro macio. Os lamas executam o exercício sobre o que os ocidentais chamam de ''tapete de oração'', com cerca de 60 centímetros de largura e 1,80 metro de comprimento. Ele é bem espesso, feito de lã e um tipo de fibra vegetal. Sua única função é proteger o corpo do chão frio. No entanto, costuma-se atribuir um sentido religioso a tudo o que os lamas fazem, daí o nome de tapete de oração'.

''Uma vez deitado de costas, estenda os braços ao longo do corpo e vire as palmas das mãos para o chão, mantendo os dedos fechados. Então, erga a cabeça do chão, encostando o queixo no peito. Ao mesmo tempo, vá levantando as pernas, com os joelhos retos, até ficarem na vertical. Se possível, deixe as pernas descerem para trás, ficando sobre a cabeça, mas não dobre os joelhos.

''Depois, vagarosamente, abaixe a cabeça e pernas, mantendo os joelhos firmes, até voltar à posição inicial. Deixe os músculos relaxarem e depois repita o rito.

''Ao repeti-lo, vá estabelecendo um ritmo mais lento em sua respiração. Inspire profundamente quando

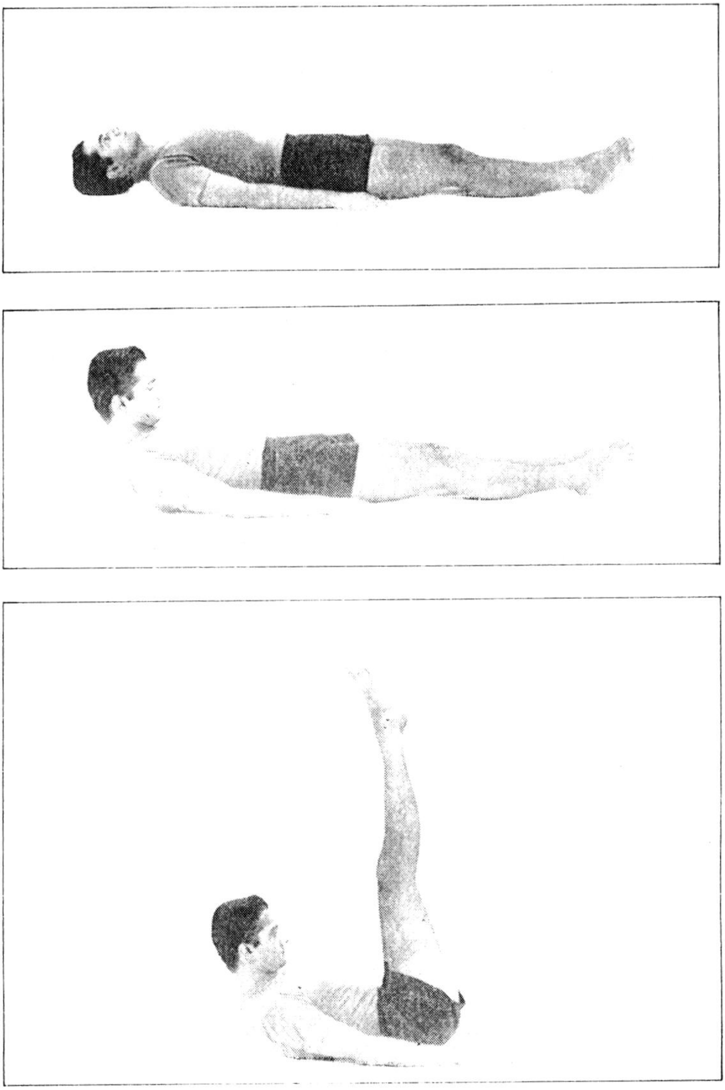

RITO 2

estiver levantando as pernas e a cabeça, e exale ao descê-las. (Inspire e exale sempre pelo nariz.) Entre as repetições, no relaxamento, continue respirando no mesmo ritmo. Quando mais profundas as respirações, melhor.

"Se você for incapaz de manter os joelhos perfeitamente retos, só dobre-os o mínimo necessário. Mas, prosseguindo na prática, empenhe-se em manter as pernas sempre bem estendidas.

"Um dos lamas me contou que, quando iniciou a prática desse simples rito, ele era tão velho, fraco e decrépito que não tinha como manter as pernas retas. Por isso, começou erguendo as pernas dobradas. Pouco a pouco foi ganhando maior elasticidade e, no final de três meses, já era capaz de esticá-las por completo."

O coronel prosseguiu:

— Eu me encantei com esse lama em particular. Quando me contou sobre suas dificuldades iniciais, ele era um modelo de saúde e juventude, embora eu soubesse que tinha muitos anos mais do que eu. Pelo puro prazer de se exercitar, ele costumava subir da horta para o mosteiro, várias dezenas de metros acima, carregando nas costas um saco com 50 quilos de hortaliças. Ele ia devagar, mas nunca parava. Quando chegava, não parecia exausto. Na primeira vez que tentei segui-lo, tive de parar, ao menos, duas dúzias de vezes para recuperar o fôlego. Mais tarde tornei-me capaz de subir o morro com facilidade e sem ajuda da bengala. Mas isso é uma outra história.

RITO 3

— Este rito deve ser praticado logo depois do segundo e é também muito simples — afirmou o coronel. — Ajoelhe-se no chão com o corpo ereto e os braços estendidos paralelamente ao corpo. As palmas das mãos devem ficar encostadas na lateral das coxas.

"Incline a cabeça para a frente, até o queixo tocar o peito. Depois, atire a cabeça para trás, o máximo possível e, ao mesmo tempo, incline-se para trás, arqueando o corpo. Nesse movimento você se escorará nas mãos que se apóiam nas coxas. Feito isso, volte à posição original e comece de novo o rito.

"Como no rito 2, você deve estabelecer uma respiração ritmada. Inspire profundamente quando arquear a espinha e exale ao voltar à posição ereta. A respiração profunda é extremamente benéfica, por isso encha os pulmões o máximo que conseguir.

"Já vi mais de duzentos lamas fazendo juntos este rito. Para manter a atenção em si próprios, eles fechavam os olhos e assim se interiorizavam, eliminando as distrações.

"Há milhares de anos, os lamas descobriram que todas as respostas para os imponderáveis mistérios da vida são encontradas dentro de nós mesmos, que todas as coisas que se juntam para criar nossa vida se originam dentro do indivíduo. O homem ocidental jamais foi capaz de compreender esse conceito. Ele pensa, como eu fazia antes, que nossa vida é moldada pelas forças incontroláveis do mundo material. Por exemplo, a maioria dos ocidentais acredita que nosso corpo deve

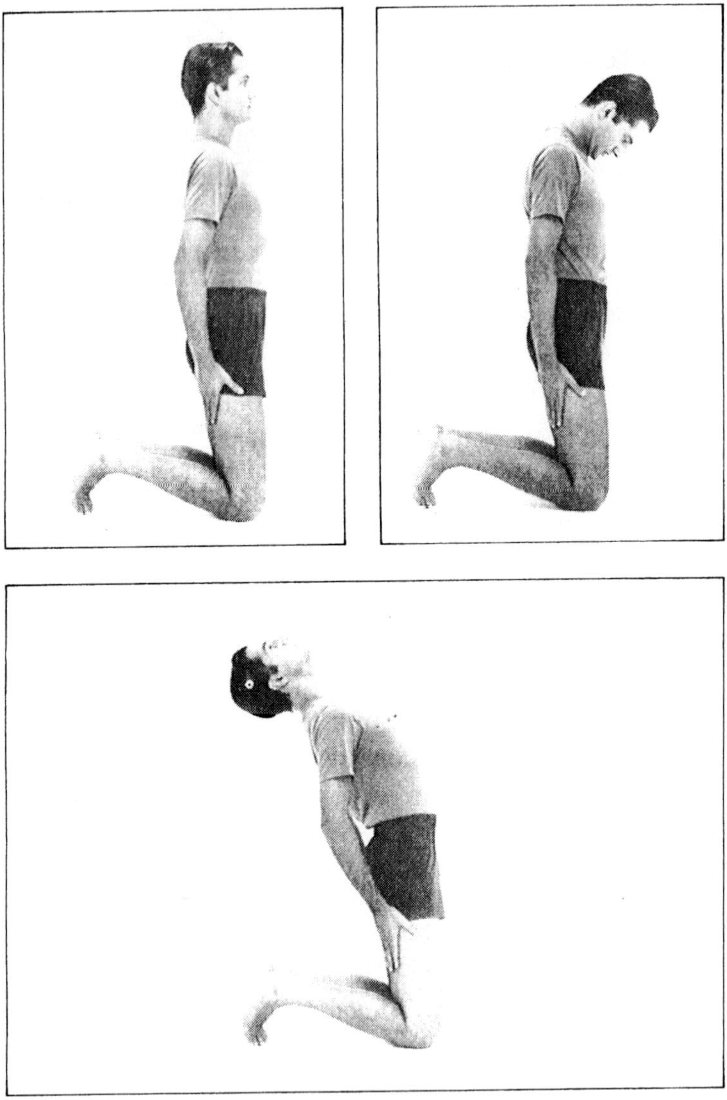

RITO 3

envelhecer e se deteriorar porque essa é uma lei da natureza. Os lamas olham para dentro de si próprios e sabem que isso não passa de uma ilusão criada pelo próprio homem.

"Os lamas, particularmente os que vivem nesse mosteiro, estão realizando um magnífico trabalho em benefício do mundo. No entanto, ele é feito no plano astral. A partir desse plano, os lamas auxiliam a humanidade em todo o globo terrestre, pois ele fica acima das vibrações do mundo físico e é um poderoso ponto focal onde é possível se realizar muito com pouco esforço.

"Um dia, o mundo despertará surpreso para ver os resultados das grandes obras realizadas por esses lamas e outras forças invisíveis. Está chegando rapidamente a hora em que se iniciará o alvorecer de uma nova era, quando então poderemos ver um novo mundo. Será uma época em que o homem aprenderá a usar suas poderosas forças interiores para vencer a guerra e a pestilência, o ódio e a amargura.

"A assim chamada 'humanidade civilizada' está de fato vivendo na mais escura das idades das trevas. No entanto, estamos sendo preparados para coisas melhores e mais gloriosas. Cada um de nós que se esforça para elevar sua consciência a níveis mais altos ajuda a elevar a consciência da humanidade como um todo. Assim, a execução dos cinco ritos exerce um impacto muito maior do que os benefícios físicos que proporcionam."

RITO 4

— Na primeira vez que tentei fazer o rito 4 — comentou o coronel Bradford —, ele me pareceu muito difícil. Mas, depois de uma semana, eu o estava executando com facilidade.

"Primeiro, sente-se com as pernas estendidas para a frente, deixando uma distância de uns quarenta centímetros entre os pés. Mantendo o corpo ereto, coloque as palmas das mãos no chão, voltadas para frente, ao lado das nádegas. Depois, incline a cabeça, fazendo o queixo tocar o peito.

"Em seguida, incline a cabeça para trás o máximo possível. Ao mesmo tempo, erga o corpo de modo que os joelhos dobrem enquanto os braços permanecem retos. O tronco e as coxas deverão ficar retos, horizontalmente em relação ao chão; os braços e as pernas estarão em posição perpendicular ao chão. Então, tensione todos os músculos do corpo. Por fim, relaxe ao voltar à posição inicial e descanse antes de repetir o exercício.

"Uma vez mais, a respiração é importante. Inspire profundamente ao elevar o corpo, segure a respiração durante a tensão dos músculos e exale completamente enquanto volta à posição inicial. Continue respirando no mesmo ritmo no intervalo entre as repetições.

"Depois de deixar o mosteiro, estive em várias cidades da Índia e dei aulas sobre os cinco ritos para ingleses e indianos. Constatei que os praticantes mais velhos, tanto de um grupo quanto de outro, sentiam que precisavam executar esse quarto rito com perfeição já

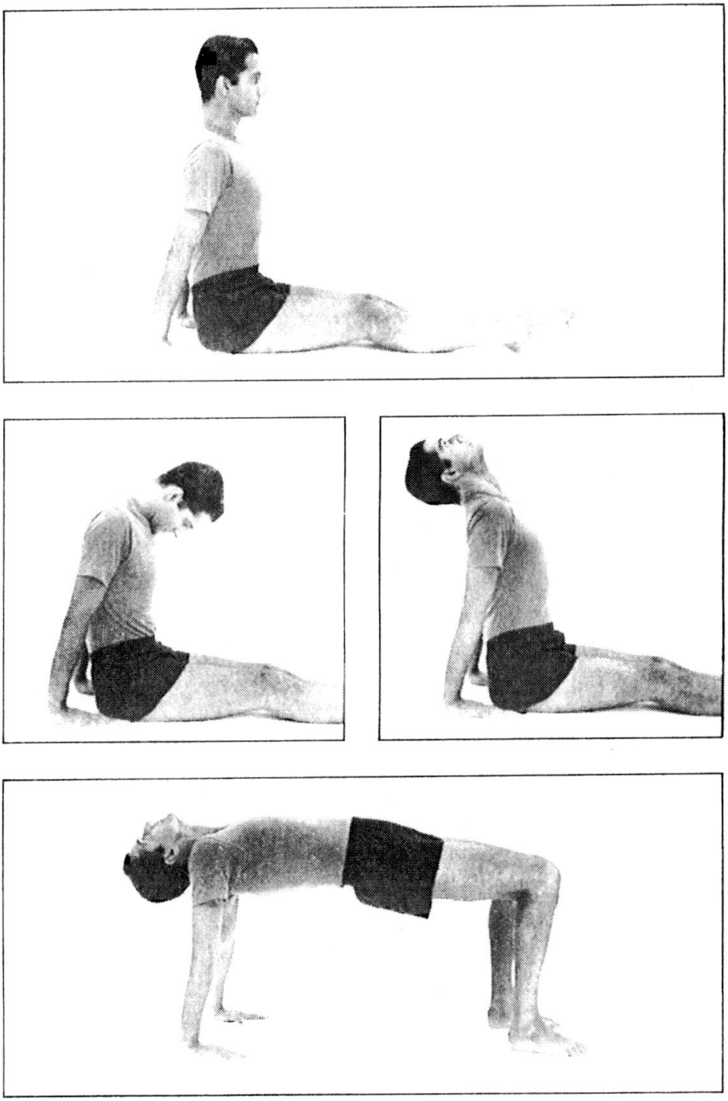

RITO 4

no início, ou não extrairiam banefícios dele. Levei um bom tempo para persuadi-los de que deviam praticar o exercício do modo que pudessem durante um mês para verem o que acontecia. Os resultados foram muito gratificantes.

"Numa das cidades em que ensinei, vários alunos idosos mal conseguiam erguer o corpo do chão quando tentavam executar esse quarto rito. Então notei que o maior problema era a presença, na mesma classe, de jovens que executavam o rito com grande facilidade; e isso desencorajava os mais velhos. Assim, resolvi separar os alunos em dois grupos, segundo a idade, e expliquei várias vezes aos idosos que eu também encontrara grande dificuldade nesse rito, mas que agora conseguia repeti-lo cinqüenta vezes sem sentir nenhuma exaustão nervosa ou muscular. E, para provar, executei o exercício diante deles. Daí por diante, o grupo dos mais velhos bateu todos os recordes de progresso.

"A única diferença entre juventude e vigor, e velhice e má saúde é a velocidade de giro dos vórtices. Quando uma pessoa mais velha aumenta a velocidade de seus vórtices, ela novamente se torna saudável e vigorosa."

RITO 5

O coronel começou, então, a me explicar o quinto rito:

— Deite-se de bruços no chão. Em seguida, erga o corpo, apoiando-se nas palmas das mãos e dedos dos pés, que deverão ficar flexionados. Durante todo o rito, mantenha uma distância de cerca de 50 centímetros entre os pés e entre as mãos.

"Mantendo pernas e braços retos, arqueie a espinha e leve a cabeça para trás o máximo possível. Depois, dobrando-se nos quadris, erga o corpo até ele ficar como um 'V' invertido. Ao mesmo tempo, encoste o queixo no peito. Volte à posição inicial e repita.

"O rito talvez pareça difícil, mas garanto que, após uma semana de prática, você vai considerá-lo um dos mais simples. Quando o estiver executando com destreza, tensione os músculos por um instante, tanto no ponto mais alto como no mais baixo. E, ao abaixar o corpo, procure encostá-lo de leve no chão.

"Siga o mesmo padrão de respirações profundas e lentas que usou nos outros ritos. Inspire ao erguer o corpo e exale quando o abaixar.

"Em todos os lugares onde vou ensinar esses ritos, as pessoas de início os classificam como exercícios isométricos. De fato, eles são úteis no alongamento de músculos e juntas enrijecidos, e melhoram o tônus muscular. No entanto, esse não é seu propósito primário. O objetivo dos ritos é normalizar a velocidade de giro dos vórtices: eles aumentam essa velocidade até a média apresentada por indivíduos com cerca de 25 anos.

"Numa pessoa saudável com essa idade, todos os vórtices giram na mesma velocidade. Se você fosse capaz de ver os sete centros de uma pessoa de meia-idade, a primeira coisa que notaria é que alguns deles estarão girando mais lentamente. Com a diferença da velocidade entre eles, não há o trabalho em harmonia. Os mais lentos causam a deterioração da parte do corpo que eles regem e os que giram mais rápido, por não estarem encontrando equilíbrio com os outros, provocam nervosismo, ansiedade e exaustão. Portanto, o que produz a má saúde, deterioração e velhice é a condição anormal dos sete vórtices.''

Enquanto o coronel Bradford me explicava os ritos, várias questões surgiram em minha mente, e as expus assim que ele terminou sua explicação:

— *Quantas vezes devo praticar cada rito?*

— Para começar — replicou o coronel —, sugiro que na primeira semana você pratique cada rito três vezes ao dia. Depois, de semana em semana, vá aumentando as repetições de duas em duas, até estar fazendo cada rito 21 vezes por dia. Em outras palavras, na segunda semana execute cada rito cinco vezes; na terceira, execute cada rito sete vezes; na quarta semana, execute cada rito nove vezes por dia, e assim por diante. Em dez semanas você estará fazendo cada um deles 21 vezes por dia.

``Se for difícil repetir o primeiro rito, o de girar, tantas vezes quantas você faz os outros, não se preocupe. Dê as voltas que puder sem ficar muito tonto. Com o tempo você atingirá as 21 vezes.

``Conheci um homem que levou mais de um ano até conseguir girar as 21 vezes. Ele foi praticando os outros ritos normalmente e aumentando as voltas sem pressa. Conseguiu esplêndidos resultados.

``Existem pessoas que simplesmente não conseguem girar. Eu as aconselho a esquecer o primeiro rito e fa-

RITO 5

zer os outros durante cerca de seis meses até tentar de novo.''

— *E em que hora do dia devo praticar os ritos?*

— Eles podem ser feitos pela manhã ou à noite, o que for mais conveniente. Eu pratico a série completa pela manhã e à noite, mas não aconselho tanta estimulação para um principiante. Depois de estar fazendo os ritos por cerca de quatro meses, você poderá praticar a série completa pela manhã e, à noite, repetir cada um apenas três vezes. Então, se quiser, vá aumentando as repetições como antes, até chegar às 21 vezes. Mas saiba que não é necessário executar os ritos mais do que 21 vezes ao dia, a não ser que você esteja muito motivado para isso.

— *E cada um dos ritos tem a mesma importância?*

— Eles trabalham em conjunto e têm igual importância. Se, depois de praticar os ritos durante algum tempo, você descobrir que não está conseguindo fazer o número de vezes indicado, divida-os em duas sessões, uma pela manhã e uma à noite. Se, para você, praticar um dos ritos é absolutamente impossível, desista dele e faça os outros quatro. Depois de alguns meses, volte a tentar. Com esse procedimento, os resultados poderão demorar um pouco, mas virão de qualquer maneira.

''Você não deverá jamais exagerar, o que seria contraproducente. Faça os ritos dentro da sua possibilidade e vá pouco a pouco aumentando o número de vezes. Não desanime. Com tempo e paciência, praticamente todas as pessoas conseguirão executar os cinco ritos 21 vezes por dia.

"Várias pessoas, ao tentar superar alguma dificuldade em um dos ritos, tornaram-se muito criativas. Um velho na Índia não conseguia fazer corretamente o rito 4 nenhuma vez e mal erguia o corpo do chão. Insatisfeito, e determinado a chegar ao ponto de deixar o peito e as coxas na horizontal, ele pegou uma caixa com uns 25 centímetros de altura e forrou-a para parecer uma mesa. Depois, deitou-se de costas sobre ela, apoiando-se nos braços e pernas. A partir dessa posição, o velho conseguia levantar o corpo com facilidade.

"Ora, esse artifício pode não ter permitido ao velho executar o rito 21 vezes, mas permitiu-lhe erguer o peito e coxas tão alto quanto a maioria das pessoas mais jovens, o que resultou num efeito psicológico benéfico. Não recomendo essa técnica, mas ela poderá ajudar outras pessoas que acham impossível fazer qualquer tipo de progresso num determinado rito. Se você tem uma mente inventiva, conseguirá pensar em outros meios para se ajudar, como fez meu aluno hindu."

— *E se um dos ritos for completamente deixado de lado?*

— Os ritos são tão poderosos que, mesmo se alguém deixar um deles de fora e fizer os outros quatro de maneira regular e na quantidade determinada, haverá excelentes resultados. Mesmo um único rito pode fazer maravilhas, como demonstra o que acontece com os dervixes, de quem já falei anteriormente. Os mais velhos, que não giravam tão excessivamente como os jovens, eram fortes e viris. Portanto, se você descobrir que não consegue mesmo executar todos os ritos ou que é incapaz de repetir as 21 vezes requeridas, saiba que, ainda assim, obterá bons resultados.

— *Os ritos podem ser feitos concomitantemente com outros programas de exercícios ou pode haver algum tipo de conflito?*

— De forma nenhuma — explicou o coronel. — Se você já está praticando algum tipo de exercício, continue. Caso contrário, comece. Qualquer tipo de ginástica, especialmente o exercício cardiovascular, ajuda o organismo a manter um equilíbrio juvenil. Além disso, os cinco ritos, ao normalizarem a velocidade dos vórtices, tornam o corpo mais receptivo aos benefícios dos exercícios físicos.

— *Tem alguma outra instrução especial sobre os cinco ritos?*

— Duas outras coisas poderão ajudar. Já falei sobre a respiração profunda e ritmada que deve ser mantida durante toda execução dos ritos. Nos intervalos entre as repetições, será bom você ficar em pé, ereto, com as mãos nos quadris, e respirar profunda e ritmadamente várias vezes. Ao exalar, imagine as tensões saindo de seu corpo, deixando-o relaxado. Quando inspirar, imagine uma sensação de bem-estar invandindo seu corpo.

"Sugiro também que tome um banho morno após a prática dos ritos. Talvez seja melhor ainda esfregar rapidamente o corpo com uma toalha úmida e morna, e depois secar-se. Mas cuidado! nunca tome banho frio, que poderá resfriá-lo internamente, e então você anulará todo o bem realizado pela prática dos ritos."

Fiquei entusiasmado com o que o coronel Bradford

me contou, mas sentia que, no fundo, eu estava um tanto cético. Então perguntei:

— *A Fonte da Juventude é mesmo assim tão simples como descreveu?*

— A única exigência necessária é praticar os cinco ritos diariamente, de início três vezes por dia e depois ir aumentando até fazer cada um deles 21 vezes. Esse é o segredo simples e maravilhoso que, se conhecido, poderia beneficiar o mundo inteiro.

E o coronel acrescentou:

— Naturalmente, você deve praticar os ritos diariamente para colher benefícios reais. Poderá saltar um dia por semana, mas nada além disso. Lembre-se de que se não for constante, permitindo que os afazeres interrompam sua rotina diária, o progresso será prejudicado.

"Felizmente, a maioria das pessoas que inicia a prática dos ritos acaba descobrindo que eles são fáceis e agradáveis de serem feitos diariamente, e seu entusiasmo aumenta quando passam a ver os resultados. Não existe nem mesmo a perda de tempo, pois a prática dos cinco ritos não leva mais do que vinte minutos. Uma pessoa em boa forma física pode executá-los em apenas dez minutos. Se você achar que não tem nem mesmo esse tempo livre, acorde um pouco mais cedo ou deite-se um pouco mais tarde.

"Os cinco ritos têm como objetivo expresso restaurar a saúde e a vitalidade juvenis no organismo. Outros fatores ajudam a determinar se você mudará de aparência de modo tão notável como aconteceu comigo, e dois deles são o desejo firme e a atitude mental.

"Você, com certeza, já percebeu que algumas pessoas parecem velhas aos 40 anos, enquanto outras parecem mais jovens aos 60 anos. A diferença entre elas é a atitude mental. Se você for capaz de se ver como jovem, apesar de sua idade, os outros o verão assim também. Quando comecei a praticar os ritos, fiz um esforço para apagar da mente a imagem de mim mesmo como um velho fraco e doentio. Em vez disso, fixei no pensamento uma imagem de como eu era quando estava no auge de minha vitalidade e a fortaleci, energizando-a com um profundo desejo. O resultado foi este que você está vendo agora.

"Para muitas pessoas um feito como este seria difícil porque consideram impossível modificar-se. Acreditam que o corpo é programado para, mais cedo ou mais tarde, tornar-se fraco e doente, e nada elimina essa idéia de sua mente. Apesar disso, se passarem a praticar os cinco ritos, começarão a sentir-se mais jovens e com maior energia, o que as ajudará a modificar o modo como se vêem.

"Existe outro fator extremamente importante para aqueles que querem parecer mais jovens de forma marcante. Há mais um rito sobre o qual, propositamente, não contei nada até agora. Mas o assunto sobre esse rito deixarei para outra ocasião."

SEGUNDA PARTE

O homem que é escravo da
carne não é livre.
LUCIUS ANNAEUS SÊNECA

O coronel Bradford regressara da Índia havia quase três meses e muitas coisas aconteceram nesse período. Eu começara a praticar os cinco ritos e estava muito satisfeito com os resultados. O coronel estivera fora, cuidando de assuntos pessoais, de modo que perdi contato com ele por algum tempo. Quando finalmente ele me ligou de novo, contei-lhe tudo sobre meu progresso e garanti-lhe que eu já constatara como os ritos eram eficazes.

De fato, eu ficara tão entusiasmado com a prática, que estava ansioso para passar a informação a outros, que também poderiam se beneficiar dela. Assim, perguntei ao coronel se aceitaria ensinar os ritos para uma classe de alunos. Ele concordou, mas impôs três condições.

A primeira era que a classe deveria ser constituída de homens e mulheres representativos das mais diferentes áreas da vida: profissionais liberais, operários, donas de casa etc. A segunda condição era que nenhum aluno deveria ter menos de 50 anos de idade. O coronel insistiu nisso, apesar de os ritos serem igualmente benéficos para pessoas mais jovens. A terceira condição era de que a classe deveria ser limitada a quinze pessoas. Isso para mim foi um tanto decepcionante, pois eu imaginara um grupo muito maior. Depois de tentar inutilmente fazer o coronel mudar de idéia, concordei com as três condições.

Em pouco tempo consegui reunir um grupo que atendia a todos os requisitos, e desde o início a classe foi um sucesso. Nós nos encontrávamos uma vez por semana, e já na segunda semana achei que podia ver sinais de melhora em vários alunos. No entanto, o coronel nos pediu para não comentarmos nossos progressos uns com os outros. No final do mês houve uma reunião de avaliação, onde todos foram convidados a falar de seus resultados. Não houve ninguém que não tivesse tido, ao menos, um pouco de melhora. Alguns alunos estavam felicíssimos com seu progresso e uns poucos haviam tido resultados notáveis. Um homem de 75 anos foi o que conseguiu mais ganhos.

As reuniões semanais do "Clube do Himalaia", como denominamos nosso grupo, continuaram. Quando finalmente chegou a décima semana, praticamente todos os membros estavam executando os cinco ritos 21 vezes ao dia. Todos afirmavam estar se sentindo melhor e acreditavam que passaram a parecer mais jovens. Vários confessaram que não contavam mais sua verdadeira idade. Isso me fez lembrar que, no início das aulas, alguém havia perguntado a idade do coronel e ele dissera que só contaria no final da décima semana. Eu, naturalmente, sabia que o coronel era bastante idoso, mas me calei. Nesse dia, enquanto esperávamos por ele, alguém sugeriu que adivinhássemos sua idade. Escreveríamos os números em papeizinhos e, quando a verdade fosse anunciada, poderíamos constatar quem mais havia se aproximado dela. Os papéis estavam sendo recolhidos quando o coronel entrou.

Depois de lhe explicarmos o que pretendíamos, o coronel pediu para ver as apostas, dizendo que as leria e depois contaria sua verdadeira idade. Em seguida, começou a ler, com ar divertido. A maioria dos alunos escrevera que ele devia estar com cerca de 40 anos.

— Senhoras e senhores — disse ele afinal —, obrigado por sua generosidade. Serei absolutamente sincero sobre minha idade. Tenho quase 73 anos.

Os alunos o fitaram, incrédulos. Seria mesmo possível um homem de 73 anos aparentar quase metade dessa idade? Depois começaram a lhe perguntar por que obtivera resultados tão mais notáveis do que os deles.

— Em primeiro lugar, vocês só estão realizando esse maravilhoso trabalho há dez meses — respondeu o coronel, bem humorado. — Quando estiverem fazendo os ritos há mais de dois anos, verão uma mudança bem mais pronunciada. Mas há mais do que esses cinco ritos. Ainda não lhes contei tudo.

Então ele começou:

— Eu lhes ensinei cinco ritos, cujo propósito é restabelecer a saúde e vitalidade juvenis, e que os ajudarão também a aparentar menos idade. Mas, se vocês desejam realmente recuperar a saúde e aparência da juventude, devem praticar um sexto rito. Não mencionei nada sobre ele até agora porque primeiro vocês teriam de exibir os resultados dos outros cinco.

O coronel afirmou que, para conseguir benefícios com o sexto rito, os alunos teriam de aceitar um autocontrole bem difícil, pois ele implica levar uma vida de castidade. Sugeriu que todos pensassem seriamente se estariam dispostos a isso pelo resto de suas vidas. Também convidou os que queriam aprender o rito 6 a voltar na semana seguinte. Depois de pensar bem, só cinco do grupo retornaram; apesar disso, o coronel afirmou que aquele número tinha sido bem maior do que o alcançado em qualquer uma de suas classes na Índia.

Quando falou pela primeira vez sobre esse rito adicional, o coronel deixou claro que ele puxaria para cima a energia reprodutiva do corpo. Esse processo não só causa a renovação da mente como de todo o organismo. Mas avisou que praticá-lo implicaria uma restrição que a maioria das pessoas não estava disposta a aceitar. Então ele prosseguiu em sua explicação do rito 6.

— No homem ou na mulher comuns, uma parte, às vezes uma parte bem grande, da força vital que alimenta os sete vórtices é canalizada para a energia reprodutiva. A quantidade de energia dissipada no primeiro vórtice é tanta, que ela não tem força para chegar aos outros seis.

"Para alguém se tornar um super-homem ou supermulher, essa poderosa força vital deve ser conservada e impulsionada para cima, de forma a poder ser utilizada por todos os vórtices e mais particularmente pelo sétimo. Em outras palavras, essa pessoa precisa se abster das práticas sexuais para que a energia reprodutiva possa ser recanalizada para um uso mais elevado.

"Bem, fazer a força vital subir é muito simples. Mesmo assim, através dos séculos, o ser humano geralmente vem falhando na tentativa de consegui-lo. No Ocidente, várias ordens religiosas procuraram canalizar a energia sexual, mas fracassaram porque quiseram dominá-la por meio da repressão. Só existe um único meio de dominar esse poderoso impulso: por meio da *transmutação*. Precisamos transmutar a energia e ao mesmo tempo puxá-la para cima. Agindo assim, vocês estarão descobrindo o Elixir da Vida, como os antigos chamavam essa energia, e colocando-a a seu dispor, algo que eles, antigos, raramente conseguiam fazer.

"O rito 6 é facílimo e deve ser praticado apenas quando vocês sentirem excesso de energia sexual e houver um desejo natural de expressá-la. Por sorte, o rito é tão simples que poderão fazê-lo em qualquer lugar, sempre que sentirem o impulso. Vamos a ele:

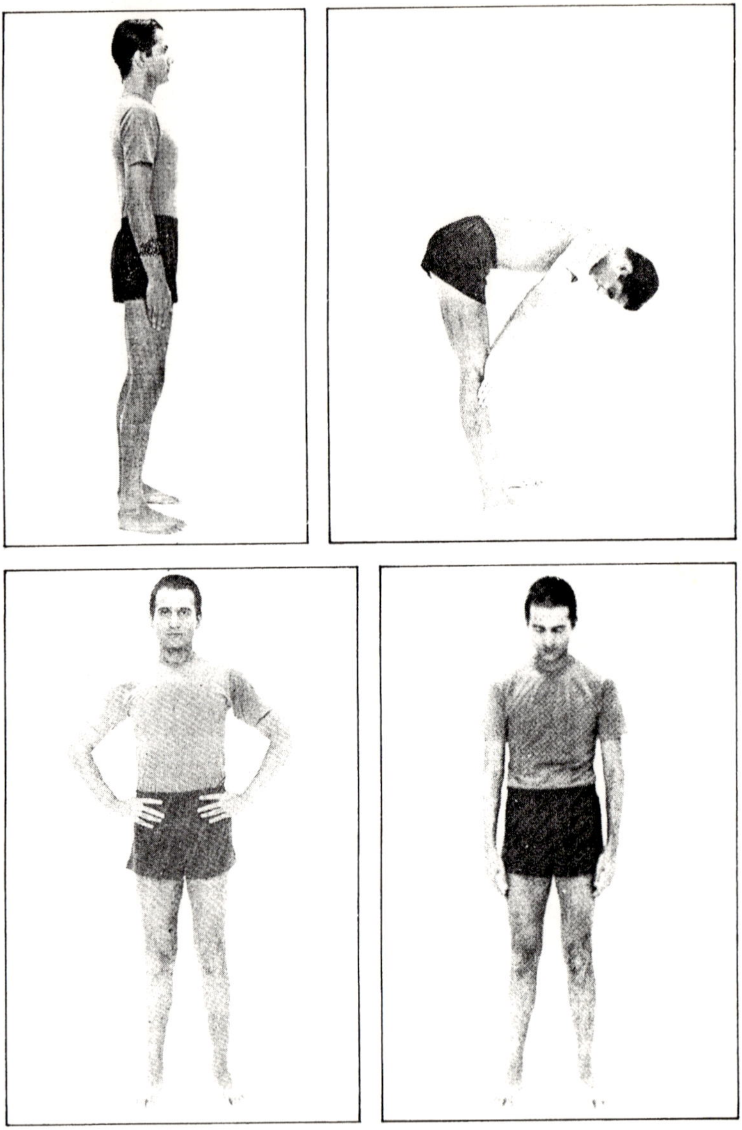

RITO 6

"Fique em pé, ereto, e lentamente exale todo o ar dos pulmões. Enquanto isso, incline-se para a frente e coloque as mãos nos joelhos. Force para fora o último vestígio de ar e depois, com os pulmões vazios, volte à posição ereta. Coloque as mãos nos quadris e pressione-as com força, o que fará seus ombros se levantarem. Enquanto estiver fazendo isso, encolha o abdome o máximo possível e, ao mesmo tempo, eleve o peito.

"Mantenha essa posição durante o maior tempo que conseguir. Quando você for finalmente forçado a inspirar, deixe o ar entrar pelo nariz. Quando os pulmões estiverem cheios, solte o ar pela boca. À medida que for exalando, relaxe os braços e deixe-os cair naturalmente. Depois, faça várias respirações profundas, usando o nariz ou a boca. É indiferente. Esses movimentos constituem o rito 6. Em geral são necessárias três repetições para se conseguir redirecionar a energia sexual fazendo-a subir para o sétimo vórtice.

"Existe uma única diferença entre uma pessoa saudável e vigorosa e alguém que é um super-homem ou uma supermulher. A primeira transforma parte da força vital em energia sexual e os últimos fazem a força subir pelos vórtices de modo a criar equilíbrio e harmonia entre os vórtices. É por isso que um super-homem ou uma supermulher se tornam mais jovens a cada dia que passa. Eles criam dentro de si o verdadeiro Elixir da Vida.

"Agora vocês podem compreender que a Fonte da Juventude esteve dentro de mim o tempo todo. Os seis ritos foram apenas uma chave que abriu a porta. Quando me lembro de Ponce de León e sua busca infrutífera pela Fonte da Juventude, lamento por ele ter viajado para tão longe para voltar de mãos vazias. Ele poderia ter atingido sua meta sem jamais deixar a casa em que morava. No entanto, como eu, Ponce de León acreditava que a Fonte da Juventude deveria ficar num rincão distante deste mundo. Jamais desconfiou que, durante o tempo todo, ela estava ali mesmo, dentro dele.

"Por favor, compreendam que, para fazer o rito 6, é absolutamente essencial que o indivíduo tenha um impulso sexual ativo, pois ele não poderá transmutar a energia reprodutiva que não possui. É totalmente impossível para alguém que perdeu a libido executar esse rito. O indivíduo não deve nem tentar, porque isso só o levará ao desânimo e fará mais mal do que bem. Em vez disso, uma pessoa que está nessa situação deverá inicialmente praticar os cinco outros ritos até recuperar o impulso sexual normal. Então ela poderá se dedicar a tornar-se um super-homem ou uma super-mulher.

"Uma pessoa não deve tentar praticar o rito 6 se não estiver verdadeiramente motivada a fazê-lo. Aquele que deseja manter uma vida sexual ativa não conseguirá transmutar a energia reprodutiva e dirigi-la para cima. Se resolver tentar, estará transformando essa energia em luta e conflito interior. O rito 6 é apenas para os que se sentem sexualmente completos e possuem o desejo real de atingir metas mais elevadas.

"Para a maioria das pessoas, a vida casta é uma escolha inviável. Então, elas devem praticar os primeiros cinco ritos. No entanto, a prática dos cinco ritos poderá levar a uma mudança de prioridades e ao genuíno desejo de se transformar num super-homem ou supermulher. É nessa hora que a pessoa deverá tomar a firme decisão de optar por um novo modo de vida. Ela deverá estar pronta para avançar sem hesitações e sem olhar para trás. Aqueles que conseguiram agir assim estão em vias de se tornar verdadeiros mestres, capacitados a conseguir tudo o que desejam.

"Repito: que nenhum homem ou mulher pense em elevar as correntes sexuais até estar preparado ou preparada para esquecer as necessidades físicas em troca das compensações da verdadeira maestria. Agora, se ele ou ela decidir avançar, o sucesso coroará todo seu esforço."

TERCEIRA PARTE

Para aumentar tua vida,
diminua tuas refeições.
BENJAMIN FRANKLIN

Após a décima semana, o coronel Bradford deixou de comparecer às reuniões da classe, mas manteve seu interesse pelo Clube do Himalaia. De tempos em tempos fazia uma palestra sobre algum tema relacionado com nossas práticas ou esclarecia dúvidas. Por exemplo, vários membros estavam especialmente interessados em dietas e no papel importantíssimo que a alimentação desempenha em nossa vida. As opiniões eram conflitantes, de modo que decidimos pedir ao coronel que descrevesser com mais detalhes a dieta dos lamas e nos falasse sobre seu ponto de vista quanto à alimentação.

— No mosteiro do Himalaia onde eu era um noviço — contou o coronel quando veio na semana seguinte —, não existem problemas relacionados com os alimentos certos ou com a quantidade de comida ingerida. Cada um dos lamas tem sua parte na produção do que é necessário para todo o mosteiro. O trabalho é feito da forma mais primitiva possível. Até mesmo o solo é preparado manualmente. Claro que os lamas poderiam usar um arado puxado por bois se assim o desejassem, mas eles preferem manter contato direto com a terra, pois acreditam que o trabalho com o solo acrescenta alguma coisa à existência do homem. Quanto a mim, achei muito gratificante lidar com a terra e creio que isso contribui para uma sensação de unicidade com a natureza.

"É fato que os lamas são vegetarianos, mas não no sentido estrito da palavra. Eles comem ovos, manteiga e queijo em quantidade suficiente para atender certas necessidades do cérebro e do sistema nervoso. Os lamas fortes e saudáveis, e que praticam o rito 6, parecem não precisar de carne, frango ou peixe.

"Tal como eu, a maioria das pessoas que ingressaram no mosteiro era constituída de gente comum, que conhecia pouco sobre a alimentação adequada. No entanto, logo depois de começarem sua vida ali, elas invariavelmente passavam a mostrar extraordinários sinais de melhora física e isso, em parte, devia-se à dieta que seguiam.

"Nenhum lama é enjoado para comer, pois lá não existe muito que escolher. Eles comem bem, mas geralmente ingerem apenas um tipo de comida em cada refeição. Esse já é um importante segredo de saúde. Quando alguém come apenas um tipo de alimento de cada vez, não existe conflito no estômago. Os alimentos entram em conflito no estômago porque alguns não combinam com outros. Por exemplo, os amidos não se misturam muito bem com proteínas. Assim, se alguém come pão, que é um amido, com proteinas como carne, ovos ou queijo, ocorre uma reação química adversa no aparelho digestivo, o que pode resultar na produção de gases e até em desconforto físico. Com o passar do tempo, isso contribui para uma vida mais curta e de menor qualidade.

"No refeitório do mosteiro, várias vezes nos alimentávamos apenas de pão. Em outras, comíamos apenas verduras e frutas frescas. Em outras ainda, ingeríamos somente hortaliças e frutas cozidas.

"De início, senti falta de minha dieta habitual e da variedade à qual estava acostumado. Entretanto, em pouco tempo tornei-me capaz de apreciar uma refeição constituída apenas de pão integral ou de um único tipo de fruta. Às vezes, uma refeição constituída de apenas um tipo de hortaliça podia se tornar um banquete.

"Entendam que não estou sugerindo que vocês se limitem à dieta de apenas um tipo de alimento por refeição, nem que eliminem as carnes por completo. Recomendo apenas que passem a manter amidos, frutas e hortaliças separados de carnes vermelhas ou brancas e, se desejarem, poderão comer vários tipos de carne numa única refeição.

"Não existe mal nenhum em se misturar ovos, manteiga e queijo com carnes ou com pão integral, mas vocês não devem terminar com coisas doces ou amiláceas, como tortas, bolos ou pudins.

"A manteiga parece ser neutra e pode ser ingerida com amidos ou carnes. O café e o chá são permitidos, mas devem ser tomados apenas com um pouco de açúcar ou outro adoçante, e jamais com leite.

"O uso adequado dos ovos foi outra coisa interessante que aprendi durante minha estada no mosteiro. Os lamas só comiam ovos inteiros após terem realizado um trabalho manual pesado: nessa ocasião, às vezes ingeriam um ovo cozido médio. Mas, em condições normais, eles apenas comiam as gemas cruas, desprezando as claras. De início, achei um desperdício jogar um alimento tão rico para os animais, porém depois aprendi que as claras são utilizadas apenas pelos músculos e só se deve comê-las quando eles são exercitados.

"Eu sempre soube que a gema de ovo é nutritiva, mas só fiquei conhecendo de seu verdadeiro valor quando conversei com um outro ocidental no mosteiro, um homem formado em bioquímica. Ele me contou que os ovos de galinha contêm praticamente metade dos elementos exigidos pelo cérebro, nervos e outros órgãos do corpo. É verdade que esses elementos só são necessários em pequenas quantidades, mas devem estar incluídos em todas as dietas para alguém se tornar robusto e saudável, tanto física como mentalmente.

"Aprendi ainda outra coisa muito valiosa com os lamas. Eles me ensinaram sobre a importância de se comer lentamente, não por boas maneiras, mas pelo propósito de mastigar bem os alimentos: este é o primeiro passo no processo digestivo. Tudo o que comemos deve primeiro ser digerido na boca antes de ser digerido no estômago. Quem engole a comida, perdendo essa etapa vital, prejudica demais o processo digestivo.

"Alimentos protéicos como carne de boi, aves ou peixes exigem menos mastigação do que amidos complexos, mas, mesmo assim, devem ser bem mastigados. Lembrem-se de que, quanto mais completamente um alimento for mastigado, mais nutritivo ele se tornará, o que significa que vocês poderão reduzir a quantidade normal que ingerem até mesmo pela metade.

"Muitas coisas que eu aceitava como certas antes de ingressar no mosteiro me pareceram chocantes quando o deixei dois anos depois. Quando cheguei a uma das maiores cidades da Índia, surpreendi-me com a enorme quantidade de comida consumida pelos que podiam pagar por ela. Vi um homem comer, numa única refeição, uma quantidade de alimentos suficiente para satisfazer quatro lamas que exerciam um trabalho exaustivo, só que, naturalmente, os lamas nem sonhariam em colocar no estômago as combinações que esse homem consumiu.

"O conglomerado de alimentos numa única refeição foi outra coisa que me impressionou em minha volta ao mundo exterior. Habituado a comer uma ou duas variedades em cada refeição, levei um susto ao contar 23 tipos de comida na mesa de meu anfitrião. Não é de admirar que os ocidentais tenham tão má saúde. Eles parecem não saber nada sobre a relação entre dieta, saúde e resistência.

"Os alimentos certos, as combinações corretas de alimentos, as quantidades necessárias, o modo certo de comer se somam para produzir excelentes resultados. Se você está gordo, poderá emagrecer. Se estiver magro demais, ganhará peso. Eu gostaria de me estender mais sobre alimentos e dieta, mas o tempo não permite. Contudo, vocês viverão bem se seguirem estas cinco recomendações:

1. Jamais comam amido e carne numa mesma refeição. No entanto, se vocês estiverem fortes e saudáveis, não é preciso se preocuparem com isso agora.
2. Se você costuma tomar café, beba-o preto, sem leite.
3. Mastigue os alimentos até eles se liquefazerem e diminua a quantidade ingerida.
4. Coma gemas de ovos cruas todos os dias, mas sempre antes ou depois das refeições; nunca durante elas.
5. Reduza ao mínimo a variedade de alimentos na mesma refeição.

QUARTA PARTE

Um corpo débil debilita a mente.
JEAN-JACQUES ROUSSEAU

O coronel Bradford foi ao Clube do Himalaia pela última vez antes de partir em viagem pelos Estados Unidos e para sua terra natal, a Inglaterra. Ele decidira falar sobre outras coisas que ajudam no processo de rejuvenescimento. Diante do grupo, parecia mais alerta e vigoroso do que nunca. Pouco depois de sua volta da Índia, ele era a própria imagem da perfeição, mas continuara a melhorar de maneira visível.

— Antes de tudo — disse ele — devo me desculpar com as mulheres de nosso grupo porque muito do que tenho a dizer esta noite será dirigido aos homens. Naturalmente, os cinco ritos são igualmente benéficos para homens e mulheres mas, sendo homem, gostaria de falar sobre um tema de especial importância para meus pares.

"Inicialmente, vou falar sobre a voz masculina. Vocês sabem que alguns estudiosos podem avaliar o nível de vitalidade sexual de um homem apenas ao ouvi-lo? Todos já notamos a voz aguda e estridente de um homem idoso. Quando a voz de uma pessoa começa a tomar esse tom, é sinal certo de que a deterioração física está bem adiantada. Vou explicar.

"O quinto vórtice, que fica na base do pescoço, rege as cordas vocais e tem ligação direta com o primeiro vórtice, localizado no centro sexual do organismo. Todos os vórtices estão interligados, como já expliquei, mas esses dois praticamente giram em conjunto. O que afeta um, afeta o outro. Como resultado, quando a voz de um homem torna-se aguda e estridente, está indicando baixa vitalidade sexual. E, se a energia está baixa no primeiro vórtice, sem dúvida ela estará faltando nos outros seis.

"Bem, para aumentar a velocidade do quinto e primeiro vórtices, como de todos os outros, vocês devem praticar os cinco ritos. Mas existe um outro método que os homens podem usar para acelerar o processo. Tudo o que se exige é força de vontade. A pessoa deve empenhar-se em abaixar seu tom de voz. Sempre que vocês se surpreenderem falando mais fino do que consideram normal, ajustem a voz para um registro mais baixo. Prestem atenção nos homens que têm vozes boas e firmes, e captem bem o som. Então, quando forem falar, mantenham a voz nesse tom o máximo possível.

"Para uma pessoa muito idosa, essa prática se mostrará um desafio, mas os resultados serão excelentes. Logo a vibração diminuída em sua voz irá acelerar o vórtice que está na base do pescoço. Isso, por sua vez, ajudará a aumentar a velocidade do vórtice na área sexual, que é a porta de entrada da energia vital. Com o aumento do fluxo dessa energia, o vórtice da garganta, por sua vez, irá se acelerar ainda mais, contribuindo para tornar mais grave o registro da voz, e assim por diante.

"Existem homems jovens que parecem robustos e viris, mas que, infelizmente, não continuarão assim por muito tempo. Isso acontece porque sua voz jamais amadureceu plenamente, permanecendo um tanto aguda. Esses indivíduos, assim como os idosos de quem estive falando, obterão excelentes resultados pelo esforço consciente de abaixarem seu tom de voz. Numa pessoa mais jovem, essa prática ajudará a preservar a virilidade, enquanto no idoso ela o ajudará a renová-la.

"Algum tempo atrás, descobri um excelente exercício para a voz. Como outras coisas eficazes, ele é muito simples. Sempre que estiverem sozinhos, ou quando houver barulho suficiente para abafar sua voz de modo a não perturbar outras pessoas, pronunciem num tom baixo, em parte pelo nariz: 'Mimmm — Mimmm — Mimm — Mimm'. Repitam o som várias vezes, abaixando a voz em etapas, até chegar ao tom mais grave possível. Esse exercício deve ser feito de preferência pela manhã, quando a voz já tende a ser mais grave. Depois, procurem manter a voz nesse tom pelo resto do dia.

"Ao sentirem os primeiros indícios de progresso, pratiquem no banheiro onde cada um poderá ouvir a própria voz reverberar. Depois, procurem obter o mesmo efeito num local maior. A intensificação das vibrações provocará a aceleração dos outros vórtices, especialmente o primeiro, no centro sexual, e o sexto e o sétimo, situados na cabeça.

"Nas mulheres mais idosas, por vezes a voz também se torna aguda e estridente, e poderá se tornar mais grave pelo mesmo método. Claro, a voz feminina é naturalmente mais aguda que a do homem, por isso a mulher não deve tentar abaixá-la ao ponto de parecer masculina. De fato, seria benéfico para uma mulher com voz grossa tentar torná-la mais fina usando o processo que descrevi, só que, ao murmurar 'mimmm'... deverá fazê-lo em tom mais agudo.

"Os lamas cantam em uníssono e num registro baixo por horas a fio. Eles não estão interessados no canto em si ou no significado das palavras, mas criando uma vibração que exerce efeito sobre os sete vórtices. Milhares de anos atrás, os lamas descobriram que a taxa vibratória do som 'O-mmm' é especialmente poderosa e eficiente. Tanto homens como mulheres extrairão benefícios ao cantar esse som várias vezes pela manhã e também ao longo do dia.

"Encha os pulmões de ar e em pé, ereto, vá expelindo o ar bem devagar para criar o som 'Om'. Divida-o pela metade, dizendo primeiro o 'O' e depois o 'mmmm'. Sinta o 'O' vibrar nas cavidades do peito e o 'mmmm' vibrar nas cavidades nasais. Esse simples exercício ajuda o processo de alinhamento dos sete vórtices e vocês começarão a sentir os benefícios desde o início da prática. Não se esqueçam de que o importante é a vibração da voz, não o ato de cantar ou o significado do som.

"Bem, tudo o que lhes ensinei esteve ligado aos sete vórtices, mas agora gostaria de falar sobre algumas coisas que podem contribuir para nos fazer mais jovens apesar de não afetarem diretamente os vórtices.

"Se fosse possível tirar um idoso de seu corpo decrépito e colocá-lo num organismo jovem, de 25 anos de idade, aposto que ele continuaria a agir como velho e a se agarrar às atitudes que o envelheceram.

"Embora a maioria das pessoas viva se queixando de que não gosta de envelhecer, a verdade é que elas extraem um prazer duvidoso do envelhecimento e das 'vantagens' que lhe atribuem. Nem preciso dizer que tal atitude em nada contribui para rejuvenecê-las. Se uma pessoa idosa realmente deseja se tornar mais jovem, ela vai ter de pensar, agir e se comportar como alguém mais jovem, eliminando as atitudes e maneirismos dos velhos.

"A primeira coisa que deve ser observada é a postura. Endireitem-se! Quando vocês começaram estas aulas, alguns estavam tão encurvados que pareciam pontos de interrogação. Com a volta da vitalidade, vocês recuperaram o ânimo e sua postura também se tornou muito melhor. Foi um excelente resultado, mas não se detenham agora. Lembrem-se da postura quando estiverem ocupados com suas atividades diárias. Endireitem as costas, ponham o peito para fora, encolham o queixo e mantenham a cabeça erguida. Só com isso vocês eliminarão vinte anos de sua aparência e quarenta de seu comportamento.

"Também livrem-se dos maneirismos da velhice. Quando andarem, primeiro verifiquem para onde pretendem ir. Só então dirijam-se para o lugar. Não arrastem os pés. Vocês devem erguê-los a cada passo. Mantenham um olho focalizado no lugar para onde estão indo e o outro em tudo à sua volta.

"No mosteiro do Himalaia havia um homem, um ocidental como eu, que parecia não ter mais do que 35 anos e agia como se não tivesse mais de 25. De fato, ele estava com mais de cem anos. Se eu lhes contasse o quanto superava os cem, vocês não acreditariam.

"Para conseguir esse tipo de milagre, vocês precisam, antes de tudo, querer. Em seguida, deverão aceitar a idéia de que isso não é apenas provável, mas uma certeza. Enquanto a meta do rejuvenescimento for considerada um sonho impossível, ela continuará a sê-lo. Mas quando vocês abraçarem plenamente a maravilhosa realidade de que podem, de fato, se tornarem mais jovens em aparência, saúde e atitude, e energizarem essa realidade focalizando nela um firme desejo, já estarão bebendo o primeiro gole das águas curadoras da Fonte da Juventude.

"Os cinco ritos que ensinei são uma ferramenta ou artifício que lhes permite obter seu milagre particular. Afinal, as coisas mais simples da vida são as mais poderosas e eficazes. Se vocês continuarem a realizar os ritos da melhor forma possível, serão ricamente recompensados.

"Tem sido muito gratificante ver cada um de vocês

melhorar a cada dia. Já lhes ensinei tudo o que posso por enquanto. Mas, como os cinco ritos continuarão a funcionar, a fazer seu trabalho, eles abrirão portas para um maior aprendizado e progresso no futuro. Enquanto isso, existem outros que precisam das informações que lhes transmiti, e chegou a hora de eu ir ensiná-los.''

E assim o coronel despediu-se de nós. Esse extraordinário homem ganhou um lugar muito especial em nossos corações e, naturalmente, lamentamos vê-lo partir. Mas também ficamos satisfeitos em saber que logo outras pessoas estarão aprendendo as valiosas lições que ele tão generosamente nos ensinou. Nós nos consideramos afortunados pois, em toda a História, pouquíssimos tiveram o privilégio de conhecer o antigo segredo da Fonte da Juventude.

Você acredita que apenas cinco antigos ritos tibetanos podem, de fato, fazê-lo sentir-se mais jovem e aparentar menos idade?

Leia aqui o depoimento de algumas pessoas que os experimentaram:

• Senti a diferença já no *primeiro* dia! Agora estou na quarta semana. Pareço mais jovem e sinto maior vitalidade a cada dia.

Dolores H., Chelan, Washington

• Depois de apenas cinco semanas, rugas, pés-de-galinha e manchas senis começaram a desaparecer. E aqui está o mais divertido: embora eu tenha quarenta anos e antes aparentava cada dia deles, as pessoas agora me dão 35, 29 ou até 25 anos. Sim, os cinco ritos realmente funcionam. Só é preciso praticar. Em pouco tempo você poderá ser uma pessoa bela e saudável. Deus o abençoe. Agradeço-lhe sinceramente pelo dom da juventude.

Barbara Crockett,
Las Vegas, Nevada

Sensação de juventude

• Depois de praticar os ritos por mais de um ano, estou parecendo muito mais jovem... há quem diga que aparento ter quinze anos a menos. Meus tornozelos, que eram fracos, se fortaleceram e minha postura melhorou muito. Hoje, meu corpo está mais flexível e ágil.

La Mae Lemkuil,
Oostburg, Wisconsin

• É impressionante o que meus amigos passaram a dizer depois de três meses de prática dos cinco ritos. Eles queriam saber por que eu estava parecendo tão mais jovem. Alguns me davam quinze anos menos. Estou entusiasmado em constatar que algo como a Fonte da Juventude realmente existe.

Bernard Davis, Liberty, Nova York

• Recentemente, um amigo meu começou a parecer mais jovem e notei que sua barba grisalha estava pouco a pouco recuperando a cor natural. Satisfazendo minha curiosidade, ele me contou sobre o livro com os exercícios da Fonte da Juventude. Eis o que aconteceu desde que comecei a praticar os cinco ritos: minha insônia e o eczema que eu tinha desapareceram por completo. Livrei-me das ondas de calor (tenho 53 anos). Depois de usar óculos bifocais durante 25 anos, não necessito mais deles. Meus olhos voltaram a ter o belo tom azul natural de 25 anos atrás. Sinto-me como se estivesse de novo com dezesseis anos. Só tenho saudade de meus lindos cabelos prateados. Eles eram a única coisa que me agradava em minha antiga aparência.

Ida Schultz, Salt Lake City, Utah

• Depois de três meses praticando os cinco ritos, muitas pessoas começaram a dizer que eu estava parecendo mais jovem e, me olhando ao espelho, tive de concordar com elas. Quando quiseram saber o que eu fiz, contei-lhes sobre o livro da Fonte da Juventude e elas o compraram. Agora que já praticam os cinco ritos desde algum tempo, elas também estão parecendo mais jovens.

Charles Tepper,
Brooklyn, Nova York

Melhora nos cabelos

• Meus cabelos estavam tornando-se mais finos e caíam bastante. Agora estão crescendo de novo e tornando-se mais espessos.

Henry Van Olst,
Hawthorne, Nova Jersey

• Quando os familiares de meu médico me viram após cinco anos, disseram: "O que o senhor fez? Sabemos que tem 75 anos de idade, mas agora aparenta uns 35 ou 40. Seus cabelos, que antes eram ralos e brancos, agora estão espessos e grisalhos. Conte-nos seu segredo. Falei-lhes do livro sobre a Fonte da Juventude e, como sempre foram meus bons amigos, emprestei-lhes o meu exemplar. Nem preciso dizer que jamais verei esse livro de novo.

H. B. McCauley,
Tularosa, Novo México

• Quando comecei os ritos, minha barba e meu bigode estavam muito grisalhos e minha pele era pálida, sem vida, o que me fazia parecer o fantasma de meu avô. Agora, meu corpo possui um bom tônus muscular, minha pele melhorou muito e a barba e o bigode foram pouco a pouco escurecendo, até recuperarem o castanho natural. Eu também consigo ler sem óculos, algo que jamais fui capaz de fazer antes.

Charles Hamilton,
Thousand Oaks, CA

Energia Surpreendente

• Tenho praticado intensamente métodos para auto-aperfeiçoamento há quase quinze anos, mas NUNCA me senti tão bem como depois de praticar os cinco ritos... Após a terceira semana, comecei a sentir um impressionante e incrível aumento de energia e de vitalidade. Foi, de fato, algo emocionante e surpreendente!

Joe Alexander,
Fayetteville, Arkansas

• Embora eu esteja praticando os cinco ritos há apenas poucas semanas, minha vitalidade aumentou tremendamente. Pode parecer incrível, mas minha percepção também está mais aguçada. Estou encantada!

Myra C., Yakima, Washington

• Recomendei seu livro a vários pacientes, que mais tarde voltaram com relatos entusiasmados. Por isso, comecei a praticar os cinco ritos há cerca de três semanas. Depois de aproximadamente nove dias, senti grande aumento em minha força e resistência. Tornei-me capaz de subir escadas carregando pacotes pesados sem nenhum esforço. Um nutricionista que conheci há pouco tempo me contou que executou os cinco ritos durante quatro meses seguidos e tornou-se muito mais forte, apesar de ser do tipo atlético, que sempre praticou levantamento de peso. Seus amigos lhe disseram que ele parecia muito mais jovem. Tenho grande confiança em seu livro e pretendo utilizá-lo para sempre.

Dr. Stanley S. Bass, médico
quiroprático e químico farmacêutico,
Brooklyn, Nova York

Melhor memória

• Minha memória estava ficando tão fraca que eu chegava a me envergonhar. Agora, depois de praticar os ritos diariamente há seis meses, adquiri maior clareza mental e muito, muito mais energia. Meus amigos também estão notando a diferença. Sou realmente grata por estar rejuvenescendo, e não envelhecendo, aos 62 anos.

Adeline Neveu,
Yakima, Washington

• Aos 83 anos, eu tinha perdido todo o interesse pela vida e pensava em me retirar para uma casa de repouso, porque achava que minha existência estava no fim. Então descobri seu livro com os cinco ritos. Eu os estou praticando há pouco tempo, mas minha memória já melhorou 50% e estou me sentindo muito mais vivo. Todos me dizem que pareço cada vez mais jovem. Graças aos cinco ritos, hoje sou uma pessoa completamente diferente e continuo a melhorar. Todos deveriam ler este livro.

E. B. K. Miller,
Buxton, Carolina do Norte

Força e energia

• Esta carta é de uma pessoa que há poucos meses era um farrapo. Eu mal possuía energia para amarrar um sapato e em seguida precisava descansar. Agora tenho forças para levantar e carregar um peso de 50 quilos. Este é o maior livro que já li na vida.

L. M. Chambers,
Bainville, Massachusetts

• Devo dizer que nunca antes havia experimentado tal sensação de bem-estar, alegria, harmonia, força e resistência. Isso é impressionante, pois sou uma avó de 74 anos!... *P.S.:* Pareço precisar de menos horas de sono e, como estou mais relaxada, durmo mais profundamente.

Jytte Fyrst, Oslo, Noruega

• Eu costumava voltar do trabalho sentindo-me absolutamente exausta e, mesmo nos fins de semana, depois de dormir muito, eu me sentia cansada. Desde que comecei a fazer os ritos, estou sempre alerta e cheia de energia. No verão passado, tive mais energia do que qualquer outra mulher no meu time de handebol. A mudança foi incrível!

Linda Felder,
Silver Spring, Maryland

• Todas as manhãs eu costumava ir à escola me arrastando, meio sonolento. Agora que estou praticando os ritos, sinto-me refrescado e até ansioso por estudar. Faço musculação há algum tempo e meus resultados eram apenas medíocres. Desde que comecei os ritos, meu desempenho melhorou extraordinariamente e sou capaz de levantar pesos maiores. Não tenho certeza se aceito a explicação metafísica, mas não tenho dúvidas de que os cinco ritos funcionam. Obrigado!

Mark Perkins, Lansing, Michigan

• Imediatamente notei uma mudança em minha energia e sensação de bem-estar. Meus dias correm mais facilmente e tenho grande disposição para o trabalho.

Um participante satisfeito, 48 anos

Perda de gordura e flacidez

• Meu corpo, que estava flácido, vem se tornando cada vez mais firme e flexível, e só faz onze semanas que comecei os ritos. Mais impressionante ainda é a sensação de autocontrole. Tenho a impressão de que meu corpo voltou a ter vinte anos. Também me sinto mais alegre e cheia de energia. Minha amiga disse que os ritos ajudam a pessoa a se sintonizar com a fonte universal do bem-estar e eliminam todo o negativismo.

Assya Humesky, Ann Arbor,
Michigan

• Com os cinco ritos, estou criando músculos e perdendo gordura. Sinto-me muito melhor e espero mais progressos. Recomendo enfaticamente este livro a todos.

Charles Knower, Los Angeles,
Califórnia

• Dez dias atrás, experimentei um vestido de minha irmã, o qual não fechava na cintura. Ontem voltei a vesti-lo e ele coube maravilhosamente. É difícil acreditar que meu corpo tenha melhorado tanto em tão pouco tempo, mas é a pura verdade. Também tenho maior disposição. Consigo trabalhar mais e me recupero do cansaço com mais rapidez e facilidade.

Ruth O., Alpine, Texas

• A pele de meus braços tornou-se firme, sem sinais de flacidez. Recomendo os cinco ritos a todos. Faça-os com a mente aberta e observe os resultados.

V. T., Placerville, Califórnia

• Uma vértebra, a articulação do quadril e um menisco voltaram espontaneamente para o lugar. Como, durante anos a fio, dependi de quiropráticos, você pode imaginar a imensa alegria que estou sentindo.

Bonita Z., Phoenix, Arizona

Alívio para a artrite

• Depois de praticar os ritos regularmente durante seis meses, a artrite que eu tinha nos joelhos desapareceu, e note que venho de uma família onde essa doença é comum. Estou felicíssimo por ter me deparado com este livro no ano passado.

Fred Schmidt, Tavares, Flórida

• Depois de dez dias, percebi que a artrite havia desaparecido de meus dedos. Também notei que meus cabelos estão escurecendo. Sinto maior vitalidade.

Helena Sutherland,
San Anselmo, Califórnia

• Meus pés estavam inchados há dois anos. Consultei médicos e terapeutas especializados, mas nenhum deles foi capaz de me ajudar. Depois de fazer os ritos durante uma semana, o inchaço desapareceu. E mais, em dois meses perdi 2,5 quilos sem modificar minha dieta.

Don Starkman, Philmath, Oregon

Melhora da sinusite

• Tentar curar anos de dor de cabeça devido a uma sinusite foi minha motivação para comprar seu livro. Desde o primeiro dia que comecei os ritos, não tive mais dor de cabeça. É um verdadeiro milagre.

Helga Vorda, Reston, Virgínia

• Não acordo mais com o nariz tapado como me acontecia todas as manhãs. Minha sinusite está desaparecendo pouco a pouco. Era desagradável, para dizer o mínimo.

Ron McIntosh, Eden, Nova York

• A sensação de bem-estar é incrível. Sinto-me viva! Minha filha de 45 anos colocou em prática as instruções do livro e seus sinus inflamados estão começando a drenar.

Ruth LaLone, Austin, Minnesota

• Anos atrás, uma sinusite aguda causou-me perda de olfato. Desde que comecei os cinco ritos, o olfato voltou. Não tenho palavras para dizer o quanto sou grata.

Carol M., Tucson, Arizona

• Os resultados foram mesmo impressionantes. Agora posso jogar tênis e golfe sem sentir dor. Tenho 69 anos, mas sinto-me como se tivesse 45 ou 50.

William Bond, Golden, Colorado

Alívio das dores

• Eu tinha uma dor nas costas há 37 anos e no primeiro dia em que fiz os cinco ritos ela desapareceu por completo.

Kathy Logan, Los Gatos, Califórnia

• Devido a um antigo ferimento, senti dores no joelho esquerdo por 38 anos. Desde que comecei os cinco ritos, há um ano, esse joelho ficou tão bom quanto o direito. Agora posso me virar e me mexer sem nenhum desconforto. Eu também tinha uma dor nos ombros e braços que desapareceu completamente.

Charles Pabis,
Fayette City, Pensilvânia

• Durante mais de seis meses senti uma dor terrível nas pernas. Eu precisava tomar dois analgésicos para ir trabalhar e dois na hora em que voltava para casa. Depois de praticar os ritos durante duas semanas, a dor desapareceu. Agora, um mês depois, posso trabalhar e me divertir dia e noite sem necessitar de comprimidos. Os ritos realmente funcionam. Você pode acrescentar meu nome à lista dos felizardos.

William T. Spencer,
St. Paul, Minnesota

• Meu problema lombar melhorou muito e raramente tenho dores.

Thomas H. Hentz,
Ellensburg, Washington

• Um grave ferimento na espinha me deixou inativa e com dores terríveis durante cinco anos. Cheguei mesmo a pensar em me suicidar. Agora, graças aos cinco ritos, a dor se atenuou e posso caminhar de novo. Consegui até encontrar emprego como professora de maternal.

Lynna Turnbow, Reno, Nevada

• Aprecio muitíssimo o livro sobre a Fonte da Juventude e ele me ajudou a combater meu problema de tireóide. Durante 25 anos tomei 0,3 mg de hormônio sintético e agora só preciso de 0,1 mg. Quando o médico que diz que não consegue acreditar no efeito dos cinco ritos, eu apenas sorrio.

Kathy Hernández,
Marina Del Rey, Califórnia

Melhor digestão

• Quando pratico os cinco ritos, sinto que minha digestão melhora. Também sinto a cabeça mais clara. *A Fonte da Juventude* é um livro fascinante.

Arthur I., Filadélfia, Filadélfia

• Tenho prova de que os cinco ritos funcionam. Comecei a praticá-los há algumas semanas e minhas úlceras já se curaram completamente.

Harriette B., Phoenix, Arizona

• Ainda não tentei praticar os cinco ritos, mas segui as recomendações do livro sobre dieta, com notáveis resultados. Sempre que saio, alguém me cumprimenta pela minha aparência. Pareço necessitar de menos comida e já não tenho apetite para alimentos industrializados. Dei vários exemplares deste livro a minhas amigas. Quando vi uma delas há pouco tempo, notei que estava com muito melhor aparência.

Frances M. Turner,
Los Angeles, Califórnia

Nunca sentiu-se melhor

• Desde que fiquei conhecendo os cinco ritos, não deixo de praticá-los nenhum dia e nunca me senti melhor em minha vida.

J. R. Watske, Waunakee, Wisconsin

• Logo depois de dois dias pude ver resultados. Com o passar do tempo, tenho notado resultados impressionantes. Eu costumava comprar livros sobre saúde e, apesar de eles todos serem bons, nenhum me ajudou tanto e em tão pouco tempo como o seu. Eu o considero como a resposta para minhas preces.

Ruth S., Kansas City, Missouri

• Este é um dos melhores livros que já conheci. Gostaria que todos no mundo ficassem sabendo de sua existência.

Nina Stewart, Gloucester,
Massachusetts

• Obrigada por publicar este maravilhoso livro. Quando comecei a lê-lo, não consegui mais largá-lo... *P.S.:* Tenho 77 anos e estive procurando por um livro como este durante toda minha vida!

Evelyn Sugden, Allentown,
Pensilvânia